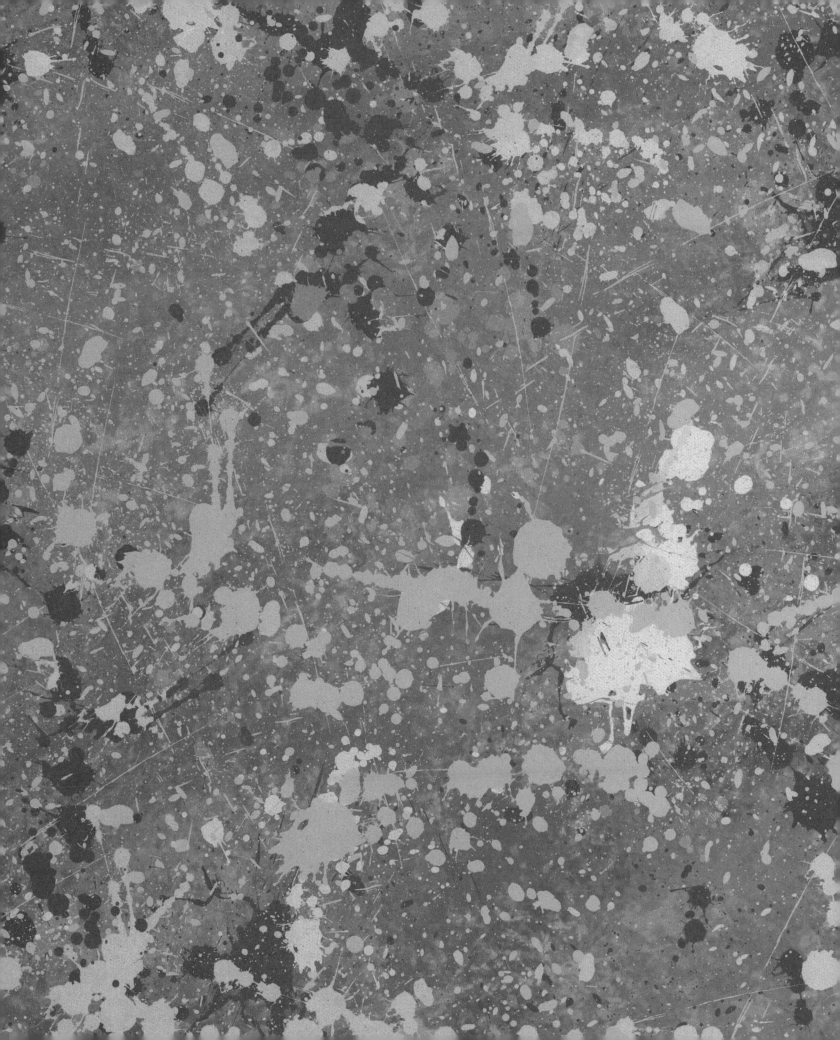

I John ac Aida, mewn cariad a gobaith. – CB
I bawb sy'n gwneud gwahaniaeth i ddyfodol ein planed. – SW
I Charlie, â chariad. – AH
I bawb sy'n gweithio'n ddiflino i ddatrys argyfwng yr hinsawdd. – ML

Hoffai'r cyhoeddwyr a'r awduron ddiolch i Andrew Simms a'r Athro Dudley Shallcross
am eu cyngor amhrisiadwy a'u cefnogaeth fel ymgynghorwyr ar y llyfr hwn.

Cyhoeddwyd gan Rily Publications Cyf,
Blwch Post 257, Caerffili CF83 9FL
Hawlfraint yr addasiad © 2021 Rily Publications Cyf
Addasiad Cymraeg gan Siân Lewis

ISBN 978-1-84967-537-6

Cyhoeddwyd yn wreiddiol yn Saesneg yn 2021 dan y teitl *The Story of Climate Change*
gan Frances Lincoln Children's Books, 74–77 White Lion Street, Llundain N1 9PF

Hawlfraint y testun gwreiddiol © 2021 Catherine Barr a Steve Williams.
Hawlfraint y darluniau © 2021 Amy Husband.
Testun ar dudalen 40 gan Siân Lewis.

Darluniwyd â chyfryngau cymysg a *collage*.

Mae'r cyhoeddwr yn cydnabod
cefnogaeth ariannol Cyngor Llyfrau Cymru.

Argraffwyd yn China

Stori
NEWID HINSAWDD

Llyfr cyntaf am sut y gallwn ni helpu i achub ein planed

Catherine Barr a **Steve Williams**
Darluniwyd gan **Amy Husband** a **Mike Love**

RILY
rily.co.uk

Biliynau o flynyddoedd yn ôl, roedd y Ddaear yn boeth iawn.

Roedd y glob cyfan yn llosgi. Ar ei draws treiglai afonydd o lafa coch a chreigiau duon. Chwythai mynyddoedd tân gymylau o lwch i'r awyr. Cymysgedd o nwyon gwenwynig yn troelli o'i chwmpas oedd atmosffer cyntaf y Ddaear.

Nwy drewllyd

4.5 – 2.3 biliwn o flynyddoedd yn ôl

Gydag amser, wrth i'r tymheredd ddisgyn, ffurfiodd cymylau ac oerodd y lafa. Disgynnodd comedau rhewllyd o'r gofod a thoddi ar y Ddaear. Dechreuodd fwrw glaw ac, yn lle bod yn goch a du, trodd y blaned yn las wrth i'r moroedd newydd lenwi â dŵr.

Yn y moroedd ymddangosodd y pethau byw cyntaf. Un diwrnod, defnyddiodd algâu bach gwyrddlas olau'r haul i'w helpu i dyfu. Wrth dyfu, roedden nhw'n rhyddhau ocsigen, a dechreuodd atmosffer y blaned newid.

Gydag amser, tyfodd pob math o blanhigion, gan ollwng mwy a mwy o ocsigen i'r aer. Roedd y nwy newydd hwn yn gwarchod y Ddaear rhag gwres cryfaf yr haul. Nawr, yn ogystal â byw yn y dŵr, gallai anifeiliaid fyw'n ddiogel ar dir heb gael eu llosgi. Roedd bywyd yn dal i esblygu ... gorffwysai gweision y neidr enfawr ar y rhedyn, cripiai amffibiaid i'r dŵr a gwibiai sgorpionau anferth a phryfed eraill drwy goedwigoedd gwyrdd, llithrig.

2.3 biliwn – 300 miliwn o flynyddoedd yn ôl

Ymestynnai blagur newydd tuag at yr haul, a phydrai hen blanhigion a suddo i'r gors. Dros filiynau o flynyddoedd newidiodd y planhigion marw hyn a ffurfio glo.

Wrth farw, suddai bacteria, plancton ac algâu i wely'r môr. Cafodd y bodau bach byw hyn eu gwasgu i'r tywod a'r llaid, gan droi yn ara' bach yn olew a nwy. Olew, nwy a glo yw ein tanwydd ffosil.

Dros biliynau o flynyddoedd, roedd hinsawdd y Ddaear yn newid, weithiau'n boeth, weithiau'n oer. Wrth i'r blaned boethi a rhewi, ffurfiodd rhagor o danwydd ffosil.

Mae'n gynnes braf heddiw.

Gan amlaf, bu'r hinsawdd yn boeth. Mae'r nwyon o gwmpas y Ddaear yn dal gwres fel blanced gynnes. Roedd y Ddaear fel tŷ gwydr a phob math o fywyd yn tyfu ar ras: bacteria pitw bach, coed tal, deinosoriaid trwm a blodau del.

300 – 65 miliwn o flynyddoedd yn ôl

Ond yna ... trychineb! Trawodd asteroid enfawr yn erbyn y blaned, nes bron â difetha bywyd ar y Ddaear. Cododd cymylau o lwch, gan guddio'r haul, a disgynnodd tywyllwch oer dros y deinosoriaid. Heb ddim i'w fwyta, bu farw'r deinosoriaid ... ond llwyddodd peth bywyd i oroesi.

Darganfu pobl sut i ryddhau ynni drwy losgi tanwydd ffosil. Dechreuon nhw losgi olew, nwy a glo. Newidiodd yr ynni newydd hwn fywydau pawb. Gallai pobl deithio mewn trên, gweithio mewn ffatrïoedd prysur a chael digon o wres a golau yn eu tai.

Peswch

Peswch

Iych! Mae'r llygredd yn drewi.

Ond pan oedd tanwydd ffosil yn llosgi, roedd nwy o'r enw carbon deuocsid yn dod allan ohono. Dechreuodd lefel y nwy yn yr atmosffer godi. Yn ystod eu hamser byr ar y Ddaear, roedd pobl eisoes wedi dechrau newid yr aer.

Wrth i'r byd ddatblygu, cynyddodd nifer y bobl.
Roedd angen mwy o dir ar gyfer codi cartrefi a ffermio bwyd.
Diflannodd coedwigoedd wrth i bobl dorri coed i adeiladu eu tai.
Cliriwyd mwy a mwy o dir er mwyn i ffermwyr allu tyfu cnydau
a magu anifeiliaid i fwydo poblogaeth oedd yn dal i gynyddu.

1850au – yr oes fodern

Ond mae anifeiliaid fferm yn ychwanegu nwy arall o'r enw methan i'r atmosffer. Gwartheg sy'n achosi'r rhan fwyaf drwy dorri gwynt a rhechu. Mae methan, fel carbon deuocsid, yn dal gwres ar y Ddaear, gan ychwanegu at yr effaith tŷ gwydr.

Hefyd, mae'r nwy niweidiol hwn yn dianc o domenni sbwriel sy'n pydru yn y dinasoedd a chorsydd sy'n toddi yn yr Arctig. Wrth i'r tymheredd godi ar draws y byd, mae corsydd rhewedig yn meddalu, ac mae swigod o hen fethan, mor fawr â grawnffrwyth, yn ffrwydro o'r Ddaear soeglyd.

Yn ogystal â'r methan yn y corsydd, mae gwyddonwyr yn mesur swigod o hen aer sy'n cuddio mewn rhewlifau mynyddig ac yn iâ trwchus y pegynau, er mwyn astudio stori newid hinsawdd.

Yn uchel ar ben mynydd tân yn Hawaii, UDA, dan awyr las, dechreuodd un gwyddonydd fesur faint o garbon deuocsid oedd yn yr aer. Lluniodd graff sy'n dangos bod lefelau carbon deuocsid yn codi – gan ddal mwy a mwy o wres ar ein planed.

1958 – heddiw

Ond beth yw effaith newid hinsawdd ar ein planed?
Wrth i'r tymheredd godi, mae'r moroedd yn amsugno'r gwres ac yn cynhesu. Mae hyn yn effeithio ar natur yn ein moroedd. Mae cynefinoedd, fel y riffiau cwrel, yn marw yn y dŵr cynhesach, a thros y byd mae planhigion ac anifeiliaid yn colli eu cartrefi.

Iym! Cril.

Iym! Plancton.

Mae'n cynhesu i lawr fan'ma.

Heddiw

Mae'r newidiadau i'r hinsawdd yn cael effaith enfawr ar draws y glob. Mae corwyntoedd ffyrnig, sy'n creu sychder a phatrymau glaw gwahanol, yn newid bywyd ar y Ddaear.

Mewn llawer o wledydd poeth mae'r anialdir yn tyfu. Mae coedwigoedd yn sychu, gan achosi tanau chwyrn sy'n llenwi'r awyr â mwg. Mae moroedd yn cynhesu, arfordiroedd yn cael eu boddi a stormydd yn chwipio'r tir.

Heddiw

Ar draws y byd, mae planhigion ac anifeiliaid yn dianc neu'n gorfod addasu i'r newid cyflym hwn. Mae eliffantod ac anifeiliaid mudol eraill yn cyrraedd afonydd a phyllau lle mae'r dŵr wedi sychu. Mae mwncïod ac epaod y fforestydd yn dianc rhag coed sy'n llosgi, ac yn y Cefnfor Arctig mae'r eirth gwyn yn nofio'n flinedig rhwng iâ sy'n toddi. Dim ond y cryfaf sy'n goroesi.

Mae'r newid hinsawdd yn difetha cynefinoedd ac yn bygwth mwy a mwy o blanhigion ac anifeiliaid. Bydd llawer yn diflannu am byth.

Wrth i'r hinsawdd newid, mae pobl yn gorfod mudo hefyd.
Mae teuluoedd a chymunedau'n dianc rhag sychder,
moroedd uchel, afiechyd a diflaniad eu tai, drwy adael
eu bro a mynd i chwilio am rywle mwy diogel.

Mae llifogydd a sychder yn gorfodi ffermwyr i chwilio am dir newydd neu
ddarganfod hadau gwahanol sy'n gallu tyfu yn y tywydd newidiol hwn.

Pam rydyn ni'n symud?

Heddiw

Mae'r moroedd uchel yn bygwth miliynau o ddinasoedd a threfi arfordirol, gan foddi cartrefi a busnesau. Wrth i fwy a mwy o'r byd gynhesu, mae mosgitos yn cario malaria i ardaloedd newydd. Yn y dinasoedd poblog, mae'r perygl i'n hiechyd yn cynyddu.

O ganlyniad, rhaid i filiynau o bobl gerdded, gyrru, hedfan neu hwylio o'u cartrefi i chwilio am loches newydd, diogelwch a bwyd.

Mae gwledydd cyfoethog yn llosgi tanwydd ffosil i ryddhau ynni a chynhyrchu nwyddau poblogaidd, fel ceir. Mae mwy a mwy o bobl eisiau'r nwyddau hyn, sy'n golygu bod coedwigoedd yn diflannu, pobl yn tyrru i'r dinasoedd i weithio mewn ffatrïoedd, a gwastraff yn cynyddu.

Pobl mewn gwledydd tlawd sy'n dioddef fwyaf o effaith newid hinsawdd. Mae llawer o ddynion yn mynd i weithio yn y dinasoedd prysur, a'r mamau a'r plant sy'n gofalu am y ffermydd. Pan fydd y cynhaeaf yn wael, does dim digon o fwyd. Mae sychder yn gorfodi gwragedd a merched i gerdded ymhellach i chwilio am ddŵr, felly, mae'n anodd cael amser i fynd i'r ysgol.

Heddiw

Pan fydd merched yn y gwledydd tlawd yn medru mynd i'r ysgol, maen nhw'n priodi'n hŷn, yn cael llai o blant ac yn magu teuluoedd mwy iach. Maen nhw hefyd yn rhedeg ffermydd mwy llewyrchus sy'n fwy tebyg o allu gwrthsefyll newid hinsawdd. Gall merched medrus newid y byd!

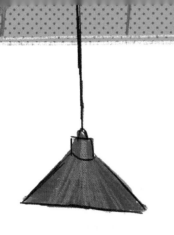

Mae gwyddonwyr yn mesur y newidiadau sy'n digwydd ar y ddaear; o fynyddoedd a dinasoedd i foroedd a rhewlifau. Maen nhw wedi darganfod sut y gall natur helpu i arafu'r newid mewn hinsawdd.

Heddiw

Ar y moroedd heulog, mae biliynau o blanhigion pitw bach yn amsugno carbon deuocsid o'r aer ac yn ei ddefnyddio i dyfu. Ar y tir, mae coed yn defnyddio'r nwy tŷ gwydr hwn ac yn storio'r carbon am gannoedd o flynyddoedd. Ond pan fydd coedwigoedd yn cael eu torri neu eu llosgi, mae'r carbon yn dianc yn ôl i'r aer. Wrth i'r moroedd gynhesu, mae'n anoddach iddyn nhw amsugno digon o'r nwy niweidiol o'r aer.

Drwy ofalu am ein moroedd ac achub ein coedwigoedd, gallwn helpu i atal y cynnydd mewn nwyon tŷ gwydr sy'n newid hinsawdd y byd.

Yr Amazonas yw coedwig law fwya'r byd, felly mae'n wir yn helpu i arafu'r newid yn ein hinsawdd. Ond mae hyd yn oed y goedwig anferth hon yn diflannu. Mae darnau enfawr o dir yn yr Amazonas yn cael eu dwyn oddi ar y brodorion sydd wedi byw yno erioed. Maen nhw'n cael eu clirio i wneud lle i wartheg a chnydau lleol sydd hefyd yn bwydo anifeiliaid fferm mewn gwledydd ymhell i ffwrdd.

Heddiw

Gallai coedwigoedd trofannol mewn sawl gwlad gael eu hachub petai pawb ym mhobman yn bwyta llai o gig. Gallwn hefyd fod yn fwy gofalus wrth brynu a pharatoi bwyd. Dros y byd mae miliynau o dunelli o fwyd maethlon yn cael eu taflu i ffwrdd bob blwyddyn. Nid yn unig mae'n wastraff bwyd, ond mae hefyd yn wastraff tir, ac mae bwyd sy'n pydru'n rhyddhau methan.

Tanwydd ffosil sy'n dal i gynhyrchu'r rhan fwyaf o'r ynni rydyn ni'n ei ddefnyddio. Ond mae math newydd o ynni yn newid y byd. Mae ynni gwyrdd yn defnyddio pelydrau'r haul, nerth y gwynt a'r llanw a'r tonnau. Mae'r ynni hwn yn adnewyddadwy, a gall bara am byth, heb lygru'r Ddaear.

Heddiw

Mae gwyddonwyr ar draws y byd wedi profi mai pobl sy'n achosi newid hinsawdd.

Maen nhw'n casglu ffeithiau, yn rhannu gwybodaeth, yn edrych i'r dyfodol ac yn awgrymu sut y gallwn ni atal y niwed i'n planed.

Hefyd mae miliynau o blant yn mynnu sylw, drwy ofyn cwestiynau dewr a phrotestio yn erbyn peryglon newid hinsawdd. Mae'r gweithredwyr ifanc hyn yn dweud wrth bobl hŷn eu bod nhw hefyd yn poeni am y blaned!

Mae plant a gwyddonwyr yn gofyn i bobl ddewis ynni gwyrdd, cefnogi ffermio cynaliadwy, prynu llai, gwastraffu llai a gwneud mwy i ofalu am natur. Ni – ti a fi – sydd wedi creu'r bygythiad i'n planed, a dyma sut y gallwn ni ei atal.

Mae pobl wedi darganfod ffyrdd o ddatrys argyfwng yr hinsawdd. Ar ôl gweld ein camgymeriadau, rydyn ni'n awr yn deall pa mor bwysig yw trin natur yn dyner yn hytrach na'i difetha. Rydyn ni wedi dysgu sut i ofalu am y pridd, y coed a'r moroedd, a sut i amddiffyn pobl, cynefinoedd a bywyd gwyllt.

Rydyn ni'n dyfeisio ffyrdd newydd a gwell o fyw mewn cytgord â'r Ddaear. O arweinwyr y byd i'n teuluoedd ein hunain, mae'n bryd i bawb, os yw'n bosib, ymdrechu bob dydd i wneud dewisiadau sy'n amddiffyn ein planed werthfawr.

Fydd dim gwastraff yma!

BWYD IACH

Heddiw – dyfodol

Gall pawb blannu coed, bwyta bwyd sydd wedi ei gynhyrchu'n lleol, prynu llai o bethau, ailddefnyddio ac ailgylchu, defnyddio llai o ynni, creu llai o wastraff a rhannu ffeithiau am yr hinsawdd â'u teulu a'u ffrindiau.

Rhestr o eiriau defnyddiol

Algâu gwyrddlas – bodau bach byw sy'n gallu gwneud eu bwyd eu hunain drwy ddefnyddio golau haul a charbon deuocsid.

Argyfwng yr hinsawdd – newid yn hinsawdd y byd sy'n bygwth dyfodol y rhan fwyaf o fywyd ar y Ddaear.

Asteroid – lwmp o graig a metel sy'n troi o gwmpas yr haul.

Atmosffer – y gwahanol nwyon sy'n amgylchu'r Ddaear neu blanedau eraill yn y gofod pell.

Carbon deuocsid – nwy tŷ gwydr a ddefnyddir yn naturiol gan blanhigion i wneud eu bwyd ar y Ddaear. Caiff carbon deuocsid ei ollwng yn ôl i'r aer pan fydd tanwydd ffosil (tanwydd wedi ei wneud o bethau byw o'r gorffennol pell) yn cael ei losgi.

Comed – pêl o iâ, craig a llwch yn y gofod.

Cynaliadwy – ffordd o ddefnyddio adnoddau naturiol sy'n rhoi digon o amser i'r adnoddau hyn adnewyddu a sy ddim yn niweidio byd natur.

Effaith tŷ gwydr – y ffordd mae'r Ddaear yn cynhesu wrth i nwyon fel carbon deuocsid a methan ddal gwres yn yr atmosffer.

Esblygiad – y ffordd mae pethau byw yn newid dros amser, ac weithiau'n troi'n fathau gwahanol o fywyd.

Heddiw – dyfodol

2019 – heddiw

Methan – nwy tŷ gwydr. Gweithgareddau dynol sy'n creu'r rhan fwyaf o'r methan yn atmosffer y Ddaear ar hyn o bryd.

Mudo – symudiad unrhyw beth byw, gan gynnwys pobl, i chwilio am rywle addas i fyw.

Newid hinsawdd – newidiadau yn nhywydd y byd a achoswyd yn ddiweddar gan weithgareddau dynol, er enghraifft llosgi tanwydd ffosil.

Nwy tŷ gwydr – unrhyw nwy yn yr atmosffer sy'n dal gwres yr haul ar y Ddaear ac yn helpu i boethi'r blaned.

Ocsigen – nwy heb liw nac arogl a gynhyrchir gan blanhigion. Rhaid i'r rhan fwyaf o bethau byw anadlu ocsigen i fyw.

Plancton – planhigion ac anifeiliaid pitw bach, gan mwyaf, sy'n byw mewn dŵr croyw neu ddŵr hallt.

Tanwydd ffosil – tanwydd naturiol – er enghraifft glo, olew a nwy naturiol – wedi ei wneud o blanhigion ac anifeiliaid ffosiledig.

Ynni adnewyddadwy – ynni o adnoddau y gall natur ddal ati i'w cynhyrchu, haul, gwynt a glaw er enghraifft.